Dessins : John Dillow (Beehive Illustration)

Photos : 123RF Limited • Chanyut Sribua-rawd/Dreamstime (p.21)

Textes : Geneviève De Becker

Relecture : Marie Sanson

Conception graphique : Cécile Marbehant

LES ANIMAUX DE LA FORÊT TROPICALE

L'ORANG-OUTAN

L'orang-outan se déplace très agilement de branche en branche à la manière de Tarzan. En revanche, au sol, il est moins habile à cause de ses courtes jambes arquées.

Végétarien, l'orang-outan mange des fruits, tels que les litchis, les figues, mais son préféré est le durian.
C'est un gros fruit savoureux mais malodorant.

Toutes les nuits, l'orang-outan dort dans les arbres. Les jeunes singes restent auprès de leur maman jusqu'à l'âge de 5 ans. Puis, devenus adolescents, ils se rassemblent en petits groupes. Une fois adulte, l'orang-outan est un animal plutôt solitaire.

LE TIGRE

Le tigre est un des seuls félins à n'avoir pas peur de l'eau ; il nage très bien. Quand il a une proie, il la traîne dans l'eau pour ne pas attirer les charognards avec l'odeur de sang.

Le tigre rugit et souffle. C'est le plus grand des félins et ses crocs énormes en forme de poignard lui permettent de déchiqueter facilement la chair de ses victimes.

Les petits, appelés tigreaux, demeurent auprès de leur mère pendant plusieurs années, le temps que celle-ci leur transmette le savoir-faire de la chasse. Mais le mâle reste un solitaire nocturne, qui tolère une femelle juste le temps de la reproduction.

LE CAMÉLÉON

Le caméléon est un reptile capable de changer de couleur selon son environnement, et son humeur. Cela lui permet de se dérober à la vue de ses prédateurs comme de ses proies.

Le caméléon possède une langue rétractile et gluante aussi longue que son corps. Il peut la projeter très rapidement pour attraper des insectes, comme un criquet ou une sauterelle qui passent près de lui.

Les yeux du caméléon tournent dans tous les sens et de façon indépendante l'un de l'autre, lui permettant de voir tout ce qui passe à sa portée dans plusieurs directions en même temps.

L'ARA

L'ara est le plus grand et le plus coloré des perroquets. C'est l'un des animaux les plus bruyants et, en captivité, c'est un très bon imitateur. L'ara peut mesurer jusqu'à 1 m de long.

L'ara se nourrit de fruits et de graines qu'il coince entre ses pattes et mange grâce à son bec puissant. Celui-ci lui sert même à casser des noix et, utilisé comme pince, l'aide dans ses déplacements sur les branches.

Une fois le couple formé, mâle et femelle sont unis pour la vie. Ils volent alors côte à côte en poussant des cris rauques. Cela permet de les reconnaître, même lorsqu'ils vivent au sein d'un grand groupe. Leur vol constant atteint la vitesse d'environ 50 km/h.

LA GRENOUILLE

La grenouille femelle pond des milliers d'œufs dans l'eau, qui sont ensuite fécondés par le mâle. Puis, au bout d'une semaine, de chaque œuf naît un têtard qui se déplace à l'aide de sa queue et respire par des branchies. Le têtard se transforme progressivement en une grenouille qui respire à la surface grâce à des poumons.

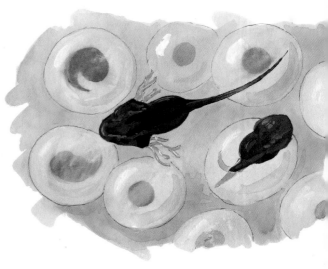

La grenouille se nourrit d'insectes qu'elle capture grâce à sa langue visqueuse. Elle ne peut les attraper que s'ils sont en mouvement, car elle est incapable de les distinguer du reste de l'environnement s'ils sont immobiles.

Certaines grenouilles ont des couleurs très vives, comme les dendrobates. Mais toutes ont besoin de vivre près d'un point d'eau, qui peut être une simple flaque d'eau dans le creux d'un tronc d'arbre.

LE JAGUAR

Le jaguar vit la plupart du temps en solitaire sur un grand territoire, dont la taille peut couvrir 500 km² et qui varie en fonction de la présence de proies. Les mâles se rencontrent peu et, si c'est le cas, ils simulent un combat mais se blessent rarement.

Le jaguar se rencontre en Amérique. Il se reconnaît grâce à son pelage moucheté de taches noires, son corps massif et sa tête large. Il peut grimper aux arbres pour se reposer sur une branche ou guetter ses proies.

Ce puissant félin est capable de tuer un caïman d'un seul coup de dent à la nuque. Cependant, il a aussi ses ennemis ; d'abord l'homme, et l'anaconda, qui est capable de l'étouffer en s'enroulant autour de lui.

LE PYTHON

Le python est un serpent constrictor. Il tue donc ses proies en s'enroulant autour d'elles puis en les serrant afin de les étouffer. Ses proies habituelles sont les rongeurs mais il est capable d'en tuer de plus grosses comme le caïman. Ses dents, en revanche, n'injectent pas de venin.

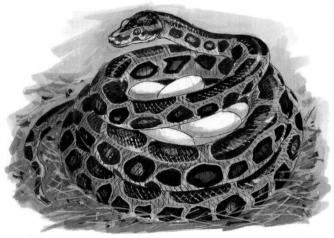

La femelle python pond ses œufs dans un trou et les couve environ 3 mois. Une fois éclos, les serpenteaux devront survivre seuls. Ceux-ci, comme les adultes, sont couverts d'écailles.

Une fois adulte, le python mue 1 à 3 fois par an. Ce changement de peau s'effectue de la tête à la queue. Pour enlever cette peau en une seule pièce, le python a parfois besoin d'une dizaine de jours !

LE GIBBON

Le gibbon a les bras longs par rapport à la taille de son corps. Il s'en sert comme d'un balancier lorsqu'il se déplace dans les arbres. Ses mains très longues, elles aussi, lui permettent de se déplacer de branche en branche avec une grande agilité.

Le mâle est fidèle à une femelle à la fois. Les gibbons vivent en petits groupes familiaux et défendent leur territoire par des hurlements. Le petit, unique, qui naît du couple reste dans le groupe familial jusqu'à l'âge de 6 ans.

Les gibbons ne font pas de nid pour dormir, ils passent la nuit sur une branche. C'est dans les arbres que le gibbon trouve sa nourriture, constituée essentiellement de fruits tels que les figues.